P'TiT LOUP

n'aime que les pâtes

Orianne Lallemand
Éléonore Thuillier

AUZOU éveil

C'est l'heure du dîner.

Maman dépose un plat sur la table.

« Qu'est-ce que c'est ? demande P'tit Loup.

— Ma spécialité ! dit Maman. Un soufflé au jambon

et aux champignons.

— Beurk ! fait P'tit Loup. J'aime pas ça. »

Et il repousse son assiette.

Maman fronce les sourcils.
« Avant de dire que tu n'aimes pas,
tu devrais goûter, dit-elle.
Peut-être que tu vas adorer !
— Non ! s'obstine P'tit Loup. J'aime pas
les champignons. Je préfère les pâtes. »

Et il ferme la bouche.

Le lendemain, P'tit Loup boude les tomates
farcies et il ne mange qu'un peu de riz.
Papa essaie de le faire rire,
il fait le clown ou bien l'avion...
Mais cela ne marche pas.

Tous les jours, c'est la même histoire :
P'tit Loup n'aime pas ci, P'tit Loup n'aime pas ça...
C'est une bataille à chaque repas.
Il veut des pâtes, des pâtes,
toujours des pâtes !

Un soir, P'tit Loup renverse toute son assiette
parce qu'il ne veut pas ses petits pois.
Maman et Papa sont fâchés :
« Va te calmer dans ta chambre, dit Papa.
Avec Maman, on a envie de dîner
tranquillement. »

Le lendemain, Maman essaie de discuter :
« Tu as raison, les pâtes, c'est bon. Mais pour être
en bonne santé, il faut manger un peu de tout,
et pas seulement ce qui te plaît. Tu comprends ?
— Moi c'est les pâtes que je préfère »,
répète P'tit Loup.

Plus tard, Papa et P'tit Loup cuisinent
des lasagnes. P'tit Loup pose les plaques
de pâtes dans le plat,
Papa ajoute des lardons et...
des petits légumes.
« Ah non ! proteste P'tit Loup,
les légumes, j'aime pas !
– Tu goûteras et tu verras ! » dit Papa.

Et voilà, les lasagnes sont prêtes !
Hmm, cela sent très bon !
Pourtant, P'tit Loup est inquiet :
il se demande s'il va aimer.

P'tit Loup goûte les lasagnes. Elles sont délicieuses.
Il en veut encore !
« Ah non, les lasagnes, c'est pour moi !
le taquine Papa. Je croyais que tu n'aimais
pas les légumes...
– Les légumes, c'est bon pour ma santé ! »
répond P'tit Loup.

Et il prend une énorme bouchée !

Toutes les histoires tendres et malicieuses
de P'TiT LOUP

Direction générale : Gauthier Auzou
Responsable éditoriale : Laura Levy – Assistante d'édition : Marjorie Demaria
Conception graphique : Alice Nominé – Mise en pages : Sarah Bouyssou
Responsable fabrication : Jean-Christophe Collett – Fabrication : Amélie Moncarré – Assistant de fabrication : Bertrand Podetti